여름에 내리는 눈

여름에 내리는 눈

발　행 | 2024년 01월 04일
저　자 | 강의정
펴낸이 | 한건희
펴낸곳 | 주식회사 부크크
출판사등록 | 2014.07.15.(제2014-16호)
주　소 | 서울특별시 금천구 가산디지털1로 119 SK트윈타워 A동
305호
전　화 | 1670-8316
이메일 | info@bookk.co.kr

ISBN | 979-11-410-6388-7

여름에 내리는 눈

강의정 지음

CONTENT

제1장   봄에 내리는 눈

제2장   가을에 내리는 눈

제3장   겨울에 찾아온 폭염

제4장   여름에 내리는 눈

작가의 말

제 1장
봄에 내리는 눈

빗줄기

한참 동안 내 앞에 쏟아지는
빗줄기를 바라보았다
그러다 빗속으로 뛰어들었다

우산이 있었지만
차마 그 우산을 쓸 수는 없었다

내 몸을 파고드는 이 빗줄기가
내가 한때 사랑했던 너와 너무
닮아있었다

네가 나에게 빗줄기로 쏟아지고
나서야
나는 온몸으로 너를 느낄 수 있었다

달맞이꽃

아무도 없는 우주, 어두컴컴한 주변,
달은 외로웠다
어두컴컴한 우주에 달 혼자 남겨진
그 외로움은 달 혼자
견디기엔 너무 버거웠다
달맞이꽃은 그런 달을
포근하게 안아주며
자신의 밤을 달에게 주었다
달을 더 환하게 비추어주었다

그런 사람이 있다는 게

오늘 이런 일이 있었는데 너무
속상했어,
일이 내 마음대로 안 풀려서
짜증 났어 하고 털어놓으면

너 지금 누구보다도 잘하고 있어
네가 지금 가고 있는 그 길이 맞는
길이야 하고 나를 안심 시켜주고
위로 해주는 그런 사람이 내 곁에
있다는 게 너무 행복해

낙화유수(落花流水)

봄이 왔다

나는 아름답게 피어난 너를 보며
네가 떨어지는 순간만을 기다렸다

이렇게 예쁜 너를 보며
네가 떨어지기만을 기다렸다

마침내 봄의 포근한 바람으로 인해
네가 떨어졌다

눈물이 흘렀다

발 묶인 코끼리

어렸을 적부터 도망가지 못하도록
발을 밧줄로 묶어놓은 코끼리는

밧줄을 충분히 끊고도 남을 덩치의
어른 코끼리가 되어서도 밧줄을
끊으려는 시도를 하지 않는다고
한다

어렸을 적부터 계속 묶여있었기
때문에 자신이 아직도 밧줄을 끊지
못할 것이라고 생각하는 것이다

코끼리나 사람이나 똑같네

할미꽃

할머니! 할머니는 왜 항상 땅만 보고
계세요?
저렇게 예쁜 풍경이 바로 앞에
있는데 왜 땅만 보고 계세요?

아무도 안 봐주는 곤충을 보살펴
주려고 그러지
자라나는 작은 새싹을 보살펴 주려고
그러지

개화시기

꽃의 개화시기가 느리든 빠르든
다 예쁜 꽃인 건 다름이 없으니까
그러니 느리다고 해서 속상해할
필요가 없어
누가 뭐래도 너는 너니까

기억 속

지금 나는 네 기억 속 깊은
어딘가로 가라앉고 있어

지금 당장 네가 나를 꺼내주지
않아도 괜찮아

너의 마음이 괜찮아질 때까지
기다릴게

네가 나를 아무렇지 않게 꺼내줄 수
있을 때까지 기다리고 있을게

그래도 너무 늦지는 마

별 같은 사람

나는 별 같은 사람이 되고 싶다

공부, 취업, 미래 등 여러 문제로
힘들어할 때 아무 생각 없이
집 밖으로 나와

터덜터덜 걷다가 하늘을 보면
그 작은 몸으로
어둡고 넓은 밤하늘을
비추어주는 그 별이

그 아무 생각 없이 본 별이
주는 대가 없는 위로와 감동

나는 그런 사람이 되고 싶다
아무 대가 없이 위로와 감동을 주는
사람

사랑고백

사랑고백을 가장 많이 하는 계절 봄
근데 굳이 가장 첫 계절인
봄에 고백을 해야 할까?
조금은 천천히 해도 되지 않을까?

봄, 조곤조곤 이야기하며 벚꽃길을
나란히 걷고,

여름, 가장 더운 날씨지만 서로를
보기 위해 집 밖으로 나가는 서로의
진심을 알게 되고,

가을, 사부작 사부작 낙엽도 같이
밟아보고,

겨울, 눈 오는 날 만나서 눈사람을
만들고 시린 손을 잡아주며
사랑한다고, 많이 좋아한다고
고백해도 늦지 않을 텐데

해바라기의 외사랑

해바라기는 평생 동안 해만 바라보며
해도 자신과 같은 마음이기를 바란다

해는 그런 해바라기를 받아주지 않고
자신과 정 반대인 달과
사랑에 빠지게 된다

그 사실을 알게 된 해바라기는
자신이 좋아하는 해를 위해

해가 좋아하는 달을
지켜주는 별이 되기로 했다

밤이 좋은 이유

어두컴컴한 밤에 반짝이는 별들,
늦은 시간에도 아직 불이 켜져 있는
건물들,
멈췄다 굴렀다 부지런히 움직이는
자동차들,
작게 들리는 사람들의 웃음소리

가장 반짝이는 순간

순식간에 가장 높은 곳에서
가장 낮은 곳으로 떨어지는 별똥별은
떨어지는 짧은 순간에 가장 반짝였다

파도=인간관계

파도가 다가왔다가 멀어진
자리에는 무늬와 색깔이 다 다른
조개들이 모래 위에 누워있다

그리고 다시 파도가 다가왔다가
멀어진 자리에는 또 다른 조개들이
누워있다

우리의 인간관계도 그런 것이 아닐까

파도가 다가왔다가 멀어지듯이
사람과의 관계도 멀어졌다가

다시 새로운 성격, 외모를 가진
사람과 새로운 관계를 만들어 나가는
바다에 새로운 파도를 만드는 일

고래

고래들도 몇 분에 한 번씩 물속에
있다가 숨 쉬러 올라오는데
우리는 왜 그 잠깐의 휴식도 없이
바쁘게 살아가는 걸까
며칠, 몇 시간도 아닌 몇 분인데
자신에게 그 잠깐의 휴식은
줄 수 있지 않은가

민들레

아무리 매일 마주치는 이웃이라도
인사 한번 없이 지나치는 세상

그 사이에 매일 바쁘게 지나치는
우리를 향해 예쁘게 손 흔들어주는
민들레가 있다

항상 "잘 지내? 무슨 고민 있어?"
하고 묻는 민들레와
그런 민들레를 그냥 지나치는 우리가
있다

하루살이

하루살이는 1년에서 2년 동안
성충이 되기 위해
물속에서 열심히 살다가
성충이 된 후
짧으면 하루, 길면 일주일을 살다가
죽는다고 한다

고작 일주일을 살기 위해 오랜 시간
동안 노력하고 기대하며
커가는 것이다

아주 작은 것이라도 원하는 것을
얻기 위해서는
오랜 시간의 노력과 정성이 필요하다

오랜 시간 동안 열심히 노력하면
원하는 것을
얻을 수 있다

마치 하루살이처럼

푸른 장미의 꽃말

'이루어질 수 없는 사랑'이
'기적'적으로
평범한 사랑이 된 이유는 당신이
저 푸른 가시밭 사이에 엉켜있는
나를 풀어주었기 때문입니다

이 영화의 결말

어느 날 푸릇푸릇한 여름의 따스한
햇살처럼 내 인생에 나타난 너는
함박눈이 오던 추운 겨울날
소름 돋을 만큼 차가운
겨울의 얼굴을 하고선
내 인생에서 사라졌다

그게 내 인생이라는 영화의
결말이었다

물감

온통 흑백이던 나의 삶에
네가 떨어졌다

너의 색은 나를 빠르게 물들였고
마침내 너와 나는
하나가 되었다

나의 어둠에 너라는 점이 찍혀
밤이라는 제목의 그림을 완성시켰다

제2장
가을에 내리는 눈

낙엽

분명 나는 바람을 따라 살랑살랑
예쁘게 흔들리는
푸른 여름의 잎이었는데

어느 순간부턴가 조금만 바람이 불면
저 밑으로 떨어져서
사람들에게 밟히고 조금만 힘을 줘도
부숴져버리는 약한 낙엽이
되어있었다

인 줄 알았다

나는 우리가 꽃인 줄 알았다
하지만 진짜 꽃은 너였고,
나는 그저 바닥에 떨어져
사람들에게 여러 번 밟힌 꽃잎이었다

인 줄 알았다 2

나는 우리가 무지개인 줄 알았다
하지만 진짜 무지개는 너였고,
나는 무지개의 여러 빛깔 사이에
끼지도 못하는 검은색이었다

커다란 우주와 작은 별

나에게 넌 신비롭고 아름답지만
함부로 다가갈 수는 없는 커다란
우주였다
너에게 난 그저 커다란 우주에
널리고 널린 작은 별들 중
하나였겠지

큰 파도

나는 네가 잠깐 발끝에 닿았다가 나
혼자 두고 다시 멀리 떠나가는
작은 파도 말고
나를 집어삼켜서 저 바다 끝까지
데려가 줄 수 있는 큰 파도였으면
좋겠어
너의 깊은 곳에 가라앉아서
빠져나오지 못했으면 좋겠어

놀이터

어릴 적 누구든 한 번쯤은 가보았을
추억의 장소인 놀이터엔
배워야 할 점이 많다

미끄럼틀은 살다가 잠깐 미끄러져도
다시 올라가면 된다는 것을 알려주고

시소는 다른 사람을 도와주면
나에게도 이득이 된다는 것을
알려주고

그네는 노력하면 원하는 것을 얻을
수 있다는 것을 알려준다

특별한 존재

지금은 자신이 너무 작아 보여도,
조금만 삐끗하면 낭떠러지로
떨어질 것 같아도

우리는 이제 막 자라기 시작한
새싹이다

씨앗에게는 당신이 꿈이자 미래이고,
꽃에게는 당신이 청춘이자 추억이다

이제 막 자라나기 시작한 존재이기에
힘든 일, 행복한 일들을 겪어 볼 수
있는 시간이 많다

많은 시간을 자책하는 데에 쓰지
말자

자신을 가꾸고 더 크게, 더 예쁘게
자라날 수 있게 노력하는 데에
시간을 더 쓰자

누군가의 행복이 되어줄 수 있는
멋진 꽃이 되자

반창고

상처 난 부위에 반창고를 붙여서
가리면
상처가 사라지는 데에 시간이 오래
걸린다

상처와 마주하기 싫어도 상처를
가리지 말고
매일 연고를 발라주다 보면

어느 순간 상처는 아물고 상처가
있었는지
조차도 자연스레 잊힐 것이다

내 삶의 이유

네가 나와 같은 하늘 아래서 숨을
쉬고 네가 따스한 햇살 아래서
낮잠을 자는 것만으로도
내 삶의 이유가 된다는 것을
너는 알까

네가 세상의 모든 빛을 모아놓은 듯
밝게 웃고
아무 걱정도 없는 듯 행복하게
뛰어다니는 것만으로도
내 삶의 이유가 된다는 것을
너는 알까

안대

눈앞이 깜깜하다
나는 무엇을 하며 살아가야 하지
내 인생의 목표는 뭐지

일단 안대부터 벗어야지
안대를 벗어야 눈앞이 환해지지

해파리

해파리는 뇌가 없다
해파리는 심장이 없다

그래서 해파리가 죽으면 아무 감정과
고통 없이 녹아서 바다를
떠돈다고 한다
고통 없이 편안하게 죽어서
오랫동안 바다를 껴안을 수 있는
해파리가 부럽다

윤슬

햇빛이 쨍쨍할 때
윤슬이 평소보다 더 예쁘게
일렁이는 모습이
날 바라보던 네 모습 같아서
무의식적으로 바다에
뛰어들었다
나도 너와 함께 바다에서
일렁이는 윤슬이 되고 싶었나 보다

물고기

나는 물고기가 싫지만
네가 물고기를 좋아한다 하여
물고기인 척 아가미를 달고서
너의 어항 속에서 살아갔다

나는 물고기가 싫지만
네가 물고기를 좋아한다 하여
네가 주는 사료를 받아먹었다

어느 날부턴가 너의 관심이 사라졌다
물고기가 익사했다

인형

힘들 때 힘내라는 말과 위로는
오히려 사람을 더 힘들게 만든다
아무 말 없이 포근히 안아주는
사람이 좋다
인형 같은 사람이 좋다

단풍의 색깔

잎들이 자신만의 색깔들로 점점
물들어갈 때
나도 물들어간다
나만의 색깔로, 나만의 모습으로
물들어간다

가을공기

오랜만에 밖으로 나와 몸속 가득
채운 공기에는 가을 향이 묻어있다

좋다
가을 공기도, 가을의 우리도

솜사탕

절대 사라지지 않을 것 같았던
내 솜사탕이 너라는 비 때문에
순식간에 녹아버렸다

끈적거리는 설탕물만 남았네

백조

백조가 물에 떠있을 때

겉으로는 편안해 보이지만
속을 들여다보면
물속에서 가라앉지 않기 위해
노력하고 있다

누군가가 당신의 노력을 알아주지
않아도 괜찮다

너의 노력은 헛되지 않았다

하필

처음으로 가지고 싶은 것이 생겼다
커다란 행성인 내가 작은 별인 너를
사랑하게 되었다

근데 하필 모든 우주가 널 원했다

큰 행성들이 어린 너를 가지고
싸우는 바람에
너는 보이지 않을 정도로 작아져서
넓고 어두운 우주를 홀로 떠돌게
되었다

애벌레

애벌레처럼 둥글게 몸을 말고
머릿속에 가득 찬 생각들을 조금씩
갉아먹는다
오늘도 조금씩 움직여 본다
꼬물꼬물 기어가본다

핑크 렌즈 효과

사랑에 빠지면 핑크색 렌즈을
쓴 것처럼
그 사람의 장점만 보이고,
그 사람이 무엇을 해도 사랑스러워
보이는 것을 뜻한다

900일 후,
핑크색 렌즈가 깨지고,

새로운 파란색 렌즈가 내 눈에
닿았을 때, 나는 너를 혐오하게
되었다

제3장

겨울에 찾아온 폭염

겨울이 밉다

겨울이 나의 몸에 상처를 낸다
칼 같은 겨울의 귓속말이 나를
찌른다
봄에게 나를 버리고 떠나간다

겨울이 밉다

낚시

"드디어 잡았다!!"

당신이 나를 물밖으로 꺼내준
사람인가요?
당신이라면 저를 사랑해줄 것 같아요

너무 기뻐서 그런지 숨이 막혀오네요
그 반짝이는 것은 뭐죠?
빛을 받아서 반짝거리는 게 예쁘네요

아, 당신은 나를 구해주려는 것이
아니었군요

이유

책은 인간에게 정보를 주기 위해
생산된다

옷은 인간의 몸을 보호하기 위해
생산된다

살아있지 않은 것들도 다 이유가
있는데 멀쩡히 살아있는 너라고
이유가 없을까

아직

아직 시작도 안했으니까
아직 얘기도 안해봤으니까
아직 우린 친구니까
아직...

나만

그 애는 나 때문에 힘들지 않다

내가 말 걸어주기를
바라지도 않을 것이고

밤새 내가 한 말 한마디 한마디
짚어가며 설레하지도 않을 것이고

내 생각으로 눈물을 흘리지도
않을 것이다

나만
너 때문에 밤을 새우고
너 때문에 혼자 착각하며 설레한다

곧

곧 아침이 밝을 거야
방안을 가득 채운 바다도
곧 사라 질 거고
우리도 다시 전처럼 괜찮아질 거고
아무렇지 않은 척 다시 일상을
살아가겠지

구름에 가려진 달

어두운 밤하늘 속 밝은 달인 너를
구름인 내가 가려버리는 것 같아
나 때문에 밤이 더 어두워지고
나 때문에 네가 더 어두워지는 것
같아

냉수

이별은 이미 다 식어버린 물과 같다
다시 끓여도 더 이상
뜨거워지지 않는다
호호 불어도 절대 식지 않던
뜨거운 물이었는데 언제 이렇게
차갑게 식은 걸까

분명 같은 말인데

안녕으로 시작해서 안녕으로
끝났던 우리
분명 같은 말인데 왜 다르지

새벽

벌써 몇 번 째인지 모르겠어
새벽이라서 네 생각이 난 걸까
네 생각을 하다가 새벽이 와버린 걸
까
둘 중에 정답이 뭔지는 모르겠지만
네 생각 좀 그만하고 싶다

나는 파도가 무섭다

나에게 상처를 준 사람들의
말 하나하나가
큰 파도가 되어 한순간에 나를 저
깊은 우울 속으로 끌어당긴다

괜찮은 줄 알았는데 안 괜찮다
나는 파도가 무섭다

번데기

나의 아픔이 나의 약점이 되어
끝없이 공격당하는 게 싫다
그래서 나는 점점 더 깊숙이 숨는다
그래서 나는 번데기에서 나비가
될 수 없다
두꺼운 막을 뚫고 나가 나의 날개를
자랑할 용기가 없다

기차

언젠가는 나의 기차에 탄 사람들이
하나둘씩 떠나간다

많은 사람들이 각자의 목적지에
내리며 나를 떠나가도
나의 기차는 다시
나머지 사람들을 위해 달려야 한다

이 기차의 종점까지 함께 갈 사람들
을 위해 다시 한번 달려보자

미로

미안해
미로가 너무 복잡하고 멀어서
너를 포기해야 할 것 같아
나한테는 너무 어렵네

종이비행기

네가 원망을 비행기 모양으로 곱게
접어
나에게 날리면 그 비행기의 뾰족한
끝은
나의 마음 깊숙한 곳에 박힌다

그러고는 종이비행기 안에 차있는
커다란 원망이 내 몸속에 점점
퍼진다

나는 원망으로 물든다
점점 가득 채워진다
잠긴다

꽃잎

꽃에서 한 꽃잎이 떨어졌다고 해서
그 꽃이 시들지는 않는다
당신에게 부족한 점이 있어도
당신이 부족한 사람이
되는 것은 아니다
그저 새로운 꽃잎을 만들어 내기
위해 노력하면 된다

칭찬

어릴 때는 밥 잘 먹고 인사만 잘해도
칭찬을 많이 들었었는데
클수록 칭찬받는 일이 점점 줄어간다

사소한 칭찬도 괜찮아

오늘따라 더 예쁘다,
난 너의 이런 점이 너무 좋아

칭찬해 주세요 더 성장하게 해주세요

각각의 겨울

사랑하는 사람과 껴안고
친구와 붕어빵을 나눠먹고
아이의 목에 크고 포근한 목도리를
둘러주고
그렇게 추운 겨울을 각각의 방식으로
따뜻하게 살아간다

눈사람

나를 정성스럽게 굴리고 다듬고
따뜻하게 새빨간 목도리까지
둘러주었으면서
나를 버리고 떠나가네요

나는 추운 겨울에 있어야 하는
눈사람이지만
당신이 없는 겨울이라면

차라리 당신이 있는
뜨거운 여름 속에서 녹아내리겠어요

아픔을 잊는 방법

얼른 일어나서 창문도 열고 시원한
물 한잔 마셔

집에 있는 이어폰 찾아서 끼고
좋아하는 노래 들으면서

씻고 예쁜 옷 입고 분위기 좋고 사람
많은 카페 가서 빵이랑 음료
주문하고

친구 만나서 수다도 떨고
집 가서 아무 걱정 없이 푹 자

그러면 순식간에 괜찮아져 있을 거야
다 괜찮을 거야

연기처럼

다가가면 사라질까봐
말 걸면 사라질까봐
다 꿈일까봐

사라지지마
날아가지마

구름

구름은 항상 모양을 바꾸고 계속
흘러가지만
그래도 예쁘다
좀 달라져도 괜찮다
조금 달라지더라도 당신은 항상
아름다울 테니

마음 속의 겨울

당신의 마음에 겨울이 다가올 때면
내가 그 겨울을 녹일게요
내가 겨울과 함께
녹아버리더라도 괜찮아요
당신을 위해 내가 더
따뜻한 사람이 될게요
그러고는 당신이 녹아버리기 전에
떠날게요

겨울밤바다

겨울밤바다의 파도는 무섭고 차갑다

말라서 곧 부러질 것 같은
나뭇가지와
나를 저 멀리 날려 보낼 것 같은
바람이
밤바다의 파도와 함께 밀려온다

무섭다 차갑다 두렵다

이 순간에도 나는 너를 떠올린다

항상 나에게만 차갑고 무관심하던
네가
저 어두운 밤바다와 많이 닮았다

장작

타닥타닥 장작이 타들어가고
붉은빛은 바람에 살랑살랑 흔들린다
붉은빛이 장작을 점점
집어삼키고 더 커진다
그래 네가 커질 수 있다면, 더 빛날
수 있다면 내가 장작이 되어 줄게

일기예보

오늘은 폭우가 내릴 예정이니
우산을 꼭 챙기시길 바랍니다
우산이 비를 막지 못할 수는 있으나
같이 비를 맞아 줄 친구가 되어 줄
테니 우산을 꼭 챙기시길 바랍니다

제4장
여름에 내리는 눈

질투는 나지만

네가 내가 아닌 다른 사람에게
사랑 받으면 질투 나지만
그래도 너를 사랑해주는
사람이 많았으면 좋겠어
그리고 그 사랑들 중 내가 주는
사랑이 가장 작았으면 좋겠어

완벽한 하루

오늘 하루는 완벽했다
개운하게 잠에서 깼고
점심과 저녁 메뉴도 내가
좋아하는 것들이었고
잠들기 전 마음에 걸리는 것
하나 없었고
네 생각도 하지 않았다
아 지금 네 생각을 했구나
오늘은 완벽한 하루인줄 알았는데...

비가 오더라도 괜찮아

매일매일이 화창하기만 하면
이곳은 곧 사막이 될 거야

그러니까 하루쯤은 비가 와도 괜찮아
가끔씩 비가 내려야 이곳이 더
화창해지니까

하소연

개도 나를 좋아하게 해달라고 빌었어
내가 좋아하는 사람이 나를 좋아하게
될 확률은 거의 없으니까
별똥별한테라도
하소연하는 거지

여름이 왔나 봐

하루 종일 돌아가는 선풍기와
마트에서 팔기 시작한 수박,

쨍쨍한 햇살 아래서
맴맴 우는 매미와
땀을 잔뜩 흘리고는 집으로 돌아와
시원한 바람을 맞으며 먹는
아이스크림,

이번 휴가는 바다로 가자며
거실에 모여 수박을 먹으면서
하는 대화들

벌써 여름이 왔나 봐

여름, 사랑

당신의 여름은 어떤가요?
저의 여름은 많이 아프고 뜨겁고
우울하지만
가끔은 설레고 행복해요

과거

오래 머금고 있다가 겨우 토해냈다

분명 처음 입에 넣을 때는 지금까지
느껴보지 못한 달콤함이었다
그래서 더 오래 입안에 머금고
싶어졌다

하지만 시간이 지날수록 점점
쓴맛으로 변했다
그래서 토해냈다

나는 과거를 토했다

너에게 배워간다

네가 별을 좋아한다고 해서 별자리를
다 외우고
네가 배울 점이 많은 사람이
좋다고 해서
배울 점이 많은 사람은
어떤 사람일 까라며
고민하고 노력한다
나는 너에게 하나하나 배워간다

누구에게나 단점은 있어

깨진 틈이 크든 작든
누구에게나 작은 틈 하나
정도는 있다
틈이 좀 있으면 뭐 어때!
그 틈이 있어야 그 사이로 빛이
들어오는 법이잖아

사탕

사탕처럼 입안에서 너의 이름을
이리저리 굴려본다

달지만 조금 씁쓸한 이 맛을 느끼다
보면 어느새 녹아 없어져 있다

그래도 나는 이 맛을 기억할 수 있다
어쩌면 평생 동안 이 맛을 기억하며
살아갈지도 모르겠다

가로등

오늘 밤은 거리의 환한 반딧불이가
잠이 들 때까지 곁을 지켜줄 테니
그리곤 그대가 잠이 든 후
세상이 다시 환해질 때면
돌아갈 테니
오늘도 잘 자요

소나무

소나무는 외롭다

겉으로는 보이지 않아서 알아챌 수
없지만

소나무도 추위를 탄다
소나무도 외로움을 느낀다
소나무도 아픔을 느낀다

과습

식물에게 매일 많은 물을 주면
식물은 과습으로 빨리 시들어 버린다

사람과의 관계에서도
상대에게 너무 많은 관심을 주면
그 관계는 금방 식어버린다

항상 적당히는 너무 어려워

새로운 별자리

새로운 별자리가 발견되었다는
뉴스를 보았다

밤하늘을 올려다보았다

밤하늘이 더 밝아지거나
아름다워지지는 않았다

그저 그 뉴스를 보고 나서
밤하늘을 올려다보는
횟수가 늘었을 뿐

세잎 클로버

네가 내 눈앞에 있다는 행복 속에서
너도 날 좋아할 것이라는
행운을 찾고 있다
네잎 클로버 찾기는 너무 어려워
그냥 세잎 클로버만으로도
만족해야지

사랑한다는 말

사랑한다는 말은 너무
형식적인 것 같아서
아프지 마, 밥 잘 챙겨 먹어, 네가
행복했으면 좋겠어, 그냥 밤하늘이
예뻐서 연락했어
라는 말들로 대신 전할게
그래도 너는 다 알아듣고 끄덕여 줄
거지?

가장 외로운

세상에서 무엇이 가장 외롭냐 물으면
나무에 매달려 썩어가는 열매,
간신히 나뭇가지 끝에 매달린
나뭇잎이 아닌
그 모든 것을 품고 있는 나무라고
답하겠어요

이상형

나는 그런 사람이 좋다

물 한 잔을 부탁하면 깊은 우물을
가져다주고
사랑을 부탁하면 자신의 청춘을
가져다주고
별 하나를 부탁하면 우주를
가져다주는 사람

국어사전

평생을 살면서 절대 잊히지 않는
이름이 있다
분명 그 이름을 알기 전에는
평범한 이름처럼 느껴졌는데
이제는 그 이름만 들려도
긴장하게 되고 행복해진다
너의 이름이 내 국어사전 속
제일 첫 장에 들어왔다

내가

내가 고양이 라면 너에게 밤을
알려주고
내가 새라면 너에게 하늘을 알려주고
내가 구름이라면 너에게 하늘을
알려줄 거야
너에게 내 모든 것을 알려줄게

뱀

두 뱀은 서로를 너무 사랑해서
항상 꼭 껴안고 다녔다
그러다가 서로의 몸이 꼬여버렸다
한 뱀이 다른 한 뱀에게 물었다
"우린 이제 어떡하지?"
그 질문을 듣고 뱀이 곰곰이
생각하더니 대답했다.
"뭐 어때. 서로의 심장에 더
가까워져서 심장소리를 더 잘 들을
수 있게 되었는걸"

별의 주인

저 하늘의 수많은 별 하나하나는
주인이 있다
별의 주인들은 모두 자신의 별을
마음속에 품고 살아간다
별은 아주 약하다

작은 화살에도 바로 깨져 버린다
내 별은 단단해서 괜찮아
라고 말하는 사람의 별도
사실은 단단하지 않다

이미 여러 번 깨졌지만 깨지지 않은
척 다시 조각을 모아 붙인 후
살아가는 것 뿐이다

편지

편지를 쓴다는 건 마음을 표현하기에
가장 좋다
조금이라도 마음이 없으면
한 글자 쓰기도 어렵고
소중한 사람에게 편지를 쓰면
큰 종이 10장도 부족하다
그래서 더 소중하다

방생

큰 바다에서 작은 물고기
한 마리를 잡았다

작지만 어느 물고기보다 빛나고
아름다웠다

그래서 그랬다
그래서 다시 큰 바다에 놓아줬다

놓아주면 다신 못 만날 것을 알지만
그래도 놓아줬다

그 물고기는 너무 아름다웠기에

조개껍데기는 녹슬지 않는다

조개껍데기는 녹슬지 않는다
무서운 파도를 맞아도
갈매기가 부리로 콕콕 쑤셔도
무너지지 않는다

덫

쥐가 왜 저 허술한 덫에 걸려
빠져나오지 못하는지 이해하지
못했었다
하지만 내가 너라는 덫에 걸려보니
이제는 알겠더라

눈

눈이 내린다

어릴 적 그렇게 기다리고 기다리던
눈이 내린다

어렸을 적에 내렸던 눈은 그저
예쁘고 포근했는데
왜 지금은 슬프지
왜 지금은 아프지

꿈속

슬픔이 뺨을 타고 내려가 베개를
큰 호수로 만들고 강으로 만들고
바다로 만든다
그러다가 더 이상 커질 수 없어서
꿈속까지 들어온다
꿈속을 파란색으로 물들인다
지겨운 악몽

파랑성(波浪聲)

내 이름을 불러주던 네 목소리가
파랑성처럼 내 귓가에 들려왔다
안녕 나의 바다

나비 실종 사건

나비는 모른다
저 강이 얼마나 깊고 어두운지
모른다
저곳에도 꽃이 있을까 하고
발만 담갔다가
그대로 사라졌으니
나비는 몰랐다

온도계

내가 누군가에게 1만큼의 온도를
주었는데 그 누군가는 온도를
못 느낄 수 있고

내가 다른 누군가에게 1만큼의
온도를 주었는데
그 누군가는 10만큼의 온도를 못
느낄 수 있어

각자의 온도가 다르기에
온도계가 있는 거야
먼저 온도계로 상대의 온도를
알아보고 천천히 다가가라고
온도계가 있는거야

컵

컵의 모양만 보고 사람을 판단하는
사람들이 있다
컵 안에 얼마나 많은 물이
있는지도 모르면서
그 물을 채우기 위해 얼마나
노력했는지도 모르면서 그 물의 맛이
얼마나 단지 모르면서
컵의 모양만 보고 판단하는 사람이
있다

손가락 사이로

넌 손가락 사이로 스쳐가는 햇살같이
넌 손가락 사이로 스쳐가는 바람같이

항상 나를 스쳐 지나가고
나에게만 그 여운이 남고

넌 지나치고 난 뒤돌아보고

스쳐가는 인연같이

구겨진 종이

한 장이 구겨지고,
열 장이 구겨지고,
서른 장이 구겨지고,

하얀 빛이 내 방을 가득 채우고
같으면서도 미묘하게 다른 글들이
내 마음을 찌른다

작가의 말

안녕하세요 강의정입니다.

우선 수많은 책들 중 제 책을 골라
끝까지 읽어주신 여러분 감사합니다.

이 책을 쓰는 동안 반년이 지났네요.

많은 시간이 흐르며 저도 많이
성장한 것 같아요.

책을 쓸 때 글을 읽으실 분들께
위로가 될 수 있도록 쓰려고 많이
노력했는데 어떠셨는지 모르겠네요.

이 책을 쓰게 된 계기는 제가
어쩌다 한 책을 읽었는데
정말 위로가 많이 되었어요.

그때 생각했어요.

아, 책에 적힌 글자만으로도
위로가 될 수 있구나 하고요.

저도 다른 사람에게 위로가 되고
싶었어요. 그래서 쓰기 시작했어요.

이 책 제목의 의미는 여름에 내리는
눈처럼 이상하고 특이하지만 자세히
들여다보면 아름답고 눈부신
사람이라는 뜻이에요.
제가 어떤 사람에게는 이상하게
보일지 몰라도 저를 아껴주고
보듬어주는 사람이라면
제 속을 자세히 들여다봐주고 저의
가치를 알아봐 줄 것이라 생각해서
이 제목으로 책을 출간하게
되었습니다.
제가 이 책을 다 쓴 후 다시
살펴보니 책을 쓰며 성장한 것이
느껴지더라고요.
첫 장 봄이 많이 서툰게 느껴지게
써졌고 마지막 장 여름은 정말
제 마음에 들게 써졌어요.
서툴게 써진 글에도 항상 너 글 잘
쓴다고 응원한다고 말해 준 친구들이
있었어요.

저를 진심으로 응원해주고 칭찬해준
규리와 주현이에게 정말 고맙다는 말
전하고 싶네요.
이 친구들이 없었으면 진작에
책 쓰는 걸 포기했을 것 같아요.
그리고 또 응원해주고 지원해준
가족들에게도
고맙다는 말 전합니다.
무엇보다 이 책을 끝까지 읽어주신
분들게 정말 감사드립니다.
항상 행복한 일만 가득하시길
바라요!!
여기까지 '여름에 내리는 눈'
이었습니다. 감사합니다.